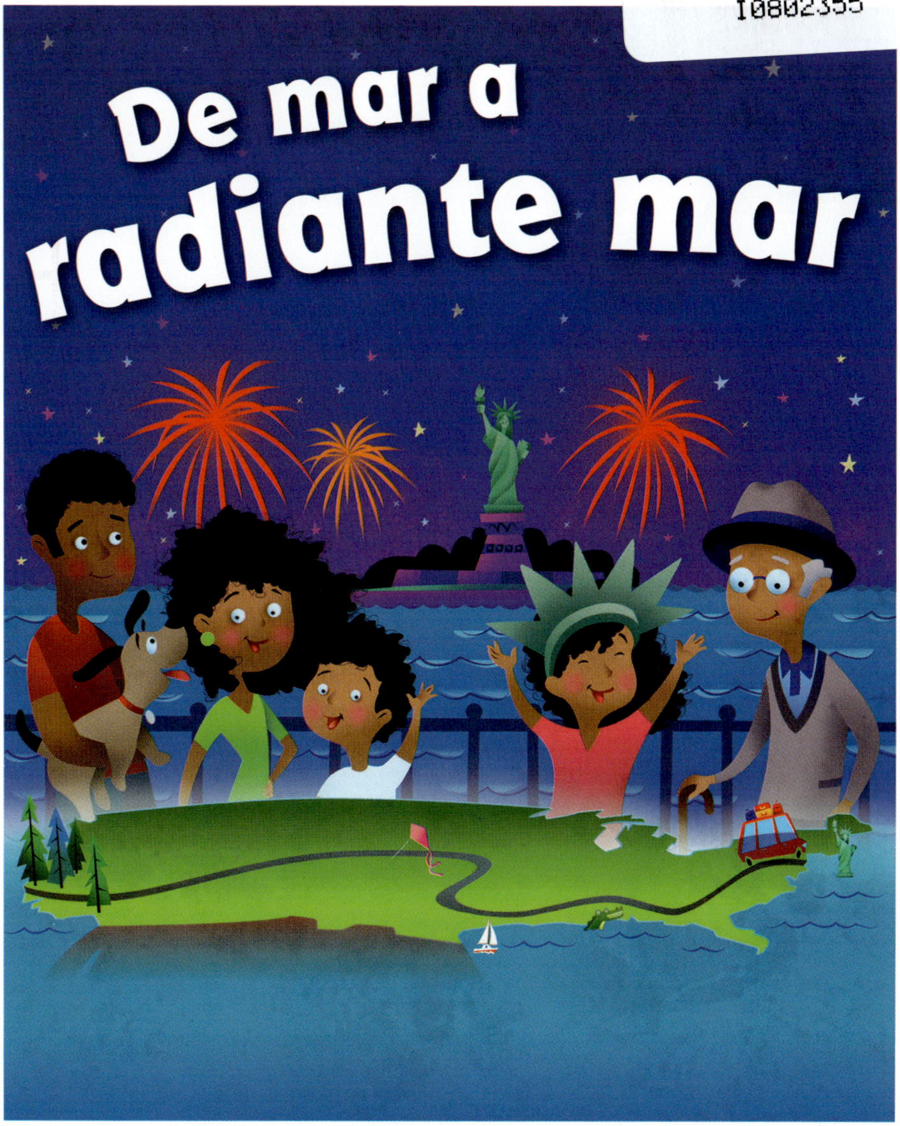

I0802355

Por Dona Herweck Rice

Ilustrado por Kevin Fales

Créditos de publicación

Rachelle Cracchiolo, M.S.Ed., *Editora comercial*
Nika Fabienke, Ed.D., *Directora de contenido*
Véronique Bos, *Directora creativa*
Shaun Bernadou, *Directora de arte*
Michelle Jovin, M.A., *Editora asociada*
Caroline Gasca, M.S.Ed., *Editora superior*
Jess Johnson, *Diseñadora gráfica*

Créditos de imágenes: Ilustraciones de Kevin Fales.

Library of Congress Cataloging-in-Publication Data

Names: Rice, Dona, author. | Fales, Kevin, illustrator.
Title: De mar a radiante mar / por Dona Herweck Rice ; ilustrado por Kevin Fales.
Other titles: From sea to shining sea. Spanish
Description: Huntington Beach, CA : Teacher Created Materials, [2020] | Audience: Grades K-1.
Identifiers: LCCN 2019052237 (print) | LCCN 2019052238 (ebook) | ISBN 9780743927413 (paperback) | ISBN 9780743927567 (ebook)
Subjects: LCSH: Spanish language--Readers. | Stories without words. | Automobile travel--United States--Juvenile fiction.
Classification: LCC PC4115 .R514 2020 (print) | LCC PC4115 (ebook) | DDC 468.6/2--dc23

This book may not be reproduced or distributed in any way without prior consent from the publisher.

TCM Teacher Created Materials
5301 Oceanus Drive
Huntington Beach, CA 92649-1030
www.tcmpub.com

ISBN 978-0-7439-2741-3
© 2020 Teacher Created Materials, Inc.
Printed in China
Nordica.032020.CA22000023